쉽고 배우는

사회성
쑥쑥
화용언어
치료

1

개정판

만화로 배우는

사회성 쑥쑥 화용언어 치료

1

최소영, 허은경 지음

이담
Books

사회성이라는 단어는 그 중요성만큼이나 최근 전문가들, 교육자들, 부모님들에게 큰 화제가 되고 있습니다. 사회성은 어떤 단일한 영역이라기보다는 언어, 인지, 정서 등의 토양 위에 좋은 환경과 교육의 햇살을 받아 자라나는 나무와도 같습니다. 사회성은 적절한 언어기술 위에서 자라나고, 잘 자라난 사회성은 언어로 표현됩니다. 그렇기 때문에 언어의 사용, 즉 화용언어는 매우 중요합니다. 예를 들어, 아이가 친구에게 인사를 하는 지극히 기초적인 과정 속에서도 아이는 어떤 표정으로 어떤 말을 건네며 인사를 해야 할지를 고민해야 합니다. 친구가 간단한 질문이라도 던지면, 대화를 더 이어갈 수 있고 인상을 좋게 하며 관심을 표현할 수 있는 방식으로 대답을 고민해야 합니다. 이처럼 복잡한 소통의 터널을 통과하면서 아이들이 어려움을 겪을 때, 부모와 교사는 아이들에게 다양한 상황들을 유연하게 처리할 수 있는 전략을 가르쳐 주어야 합니다. 이 책을 그런 아이들과 부모, 교사를 위해 드립니다. 이 책이 화용언어가 부족한 아이들이 성장하는 데 디딤돌이 될 수 있길 바랍니다.

목차

본 교재의 특징

본 교재에서는 학령기가 된 아이들이 마주할 수 있는 상황들을 만화로 제시하고, 그 상황에 맞는 적절한 말과 행동들을 연습해 볼 수 있도록 하였습니다.

재미있습니다.

'공부', '수업'이라는 말만 들어도 배가 아프고 등이 가려워 오는 아이들에게 만화로 제공되는 교재는 흥미와 학습동기를 끌어올려 줄 것입니다. 또한 낙서판, 줄 긋기, 자르고 붙이기, 손인형 역할극 등의 다양한 활동으로 복습할 수 있도록 과제를 구성하여 학습의 재미를 더하였습니다. 즐겁게 배우고, 또 기다려지는 수업이 아이들의 생각과 마음을 한 뼘 더 자라게 할 것입니다.

쉽습니다.

책읽기나 어른들의 설명을 통한 배움은 활자나 언어를 이해하는 과정을 거쳐야 합니다. 언어능력·인지능력에 어려움이 있는 아이들에게는 그러한 방식의 배움에서 심리적인 부담감이 더 커질 수밖에 없겠지요. 만화로 제공되는 교재는 언어를 이해하는 복잡한 과정에 대한 부담을 줄이고, 시지각을 통하여 직접적이고 편안하게 상황을 인식할 수 있도록 아이들을 도와줄 것입니다.

실제적입니다.

호랑이를 잡으려면 호랑이 굴로, 대화를 배우려면 대화 속으로 들어가 보는 것이지요. 만화로 제공되는 교재는 대화체의 문장을 사용하므로, 아이들이 자연스러운 구어문장을 배우고 대화 능력을 기르는 데 도움이 될 것입니다. 또한 '말하기'에 초점을 맞춘 복습과제와, 아이 스스로 자가점검을 할 수 있도록 돕는 체크리스트 등을 수록하여 좀 더 실제적으로 생활에 적용할 수 있는 교육을 제공하도록 하였습니다.

이렇게 사용하세요

본 책은 다양하고 재미난 활동들로 구성되었습니다. 다음의 활용 방법을 참고해 아이와 재미있게 이야기를 나누면서 아이의 사회성을 길러 주세요.

1 상황 설명

만화 에피소드의 제목을 소개하여 주제를 이해하도록 도움을 줍니다. 또한 만화의 배경에 대한 상황과 주인공들에 대한 짧은 이야기가 수록되어 있습니다. 만화를 보기 전에 아이가 내용에 대해 이해하고 생각해 볼 수 있게 도와주세요. 읽기를 싫어하거나 지루해한다면, 억지로 모든 상황을 읽어 주지 않으셔도 됩니다. 만화는 쉽게 구성되어 있어 배경 상황을 잘 모르더라도 내용을 충분히 이해할 수 있으니 주인공들의 이름 정도만 알려 주셔도 괜찮습니다.

2 만화 읽기

학교에서 벌어질 수 있는 다양한 상황을 주제로 한 재미있는 6컷의 만화들입니다. 읽는 순서는 왼쪽에서 오른쪽으로 읽으시면 됩니다. 만화에는 생각풍선과 말풍선이 있습니다. 생각풍선의 말은 속으로만 생각하는 것이라고 아이에게 설명해 주세요. 아이가 생각하는 대로 재미있게 말풍선을 채워 보시고 나중에 모범 답안과 비교해 보는 것도 좋습니다. 하지만 아이가 잘 생각해 내지 못하거나 틀린다고 해도 우선은 만화 내용을 이해하고 즐기는 것에 중점을 두고 진행해 주세요.

3 빈칸에 들어갈 말 생각하기

앞의 만화의 빈칸에 들어갈 말들을 생각해서 문제를 풀어 보는 활동입니다. 각 질문에 따라서 만화에 들어갈 적절한 말을 다섯 가지 예시 중에서 찾아보게 해 주세요. 그리고 정답이 아닌 다른 네 가지 답은 왜 틀렸는지를 생각하고 이야기해 보도록 해 주세요. 정답이 아닌 네 가지 보기는 엉뚱하거나, 친구의 감정을 상하게 하는 등의 이유로 옳지 못한 표현임을 알려 주세요. 여러 가지 답과 정답을 고려하여 아동의 말로 바꾸어 표현해 보도록 지도해 주세요.

4 이야기 만들기

　화용언어 및 또래 관계에 매우 중요한 것 중 하나가 이야기 말하기 능력입니다. 앞의 만화 내용을 보기에 주어진 단어들을 사용하여 다시 말해 보도록 지도해 주세요. 점수를 매기어 활용하시면 아이들에게 동기를 심어 주어 즐겁게 활동하실 수 있습니다. 점수는 개인적으로 주셔도 됩니다. 저희가 제안하는 점수 가이드라인은 다음과 같습니다. 각 단어를 사용하면 +10점, 모든 단어를 사용할 시 +70점, 문법을 잘 맞추어 구성했을 때 +10점, 이야기 내용과 일치하면 +10점, 요약하여 쓰기를 완성하면 +10점, 총 100점입니다.

5 이해와 적용 질문들

　만화의 내용을 잘 이해하고 있는지 확인하고, 만화의 내용을 개인적으로 적용해 보는 것을 도와주는 질문입니다. 아이들이 만화에 나온 사회적 개념들을 이해하고 있는지를 확인해 보시고 모르는 부분을 알려 주세요. 자신의 이야기를 해 보는 섯을 통해 과거의 경험을 회상하면서 앞으로 어떻게 할지도 생각해 보도록 도와주세요. 아이가 지루해할 수 있는 부분이니 칭찬 등의 강화를 사용해 아이가 즐겁게 문제에 답해 볼 수 있도록 도와주세요.

6 다양한 활동들(선 긋기, 체크리스트, 질문 등)

　만화의 내용을 직접 적용해 볼 수 있는 재미난 활동들로 구성되어 있습니다. 지시에 따라서 다양하게 활동해 보세요. 선 긋기, 올바르게 말하는 친구 찾기 등의 활동을 통해 상황에 적절하게 말하는 능력을 길러 주세요. 체크리스트는 작게 오려서 지니고 다니면서 직접 해당 상황에서 도움을 받을 수 있도록 하시면 좋습니다. 이야기들은 함께 읽어 보면서 아이가 어떤 상황에서 어떻게 활동하면 좋을지를 함께 생각해 보세요. 지나치게 공부하는 느낌이 들지 않도록 진행해 주세요.

7 역할극 스크립트

　주제에 맞게 적절한 대화 상황을 스크립트 형식으로 제시하였습니다. 아이들이 미리 그 상황에 대해서 생각해 보고 상황에 적절하게 대화하는 법을 연습하는 것을 통해 사회성을 기를 수 있도록 구성하였습니다. 아이와 성인이 번갈아 가며 역할극을 재미있게 해 보세요. 아래 있는 빈칸을 채우며 적절한 말뿐 아니라 제스처나 표정 같은 비언어적인 단서도 알아볼 수 있는 시간을 가지도록 도와주세요. 역할극에 사용할 수 있는 손인형을 부록에 제공합니다.

8 만약 이런 상황이면 어떻게 할래?

아이가 사회 속에서 접하게 될 만한 다양한 상황들을 제시했습니다. 아이가 상황을 이해하고, 어떤 생각이 들지, 어떤 말과 행동을 할 것인지를 미리 생각해 보게 도와주세요. 먼저 공부해 본 상황을 접하게 될 때 아이는 덜 당황하게 되고 더 지혜롭게 행동하게 됩니다. 그림을 따로 잘라 카드로 만들어 쓰셔도 좋습니다. 아이에게 그림을 보여 주며 상황질문을 주시고 다양한 해결 방법을 떠올려 보도록 도와주세요. 필요하다면 직접 역할극을 해 보셔도 좋습니다.

9 빈칸 만화 만들기

만화 내용을 생각하며 그대로 다시 구성해 보아도 좋고 아니면 새로운 이야기를 생각해 내도 좋습니다. 어떤 생각과 행동, 그리고 말이 적절할지를 스스로 떠올리게 해 주세요. 미리 말풍선을 채워 주시고 어떤 생각으로 그렇게 말을 했는지를 찾아보게 하시는 것도 매우 재미있습니다. 아이들은 자신의 생각을 어떻게 표현해야 할지도 어려워하지만, 타인의 말을 듣고 타인이 어떤 생각을 하고 있는지를 파악하는 것도 어려워하므로 아이의 필요에 따라 지도해 주세요.

10 보너스 페이지/ 담벼락에 낙서하기/ 답

만화 내용을 생각하며 총정리 및 마무리를 할 수 있게 담벼락에 낙서해 보는 활동을 구성하였습니다. 아이가 진짜 낙서를 하듯 그림이나 글씨를 쓰면서 이야기에서 배운 내용들을 정리해 보도록 도와주세요. 또한 아이들이 머리를 식힐 수 있게 다양하고 재미난 내용들로 구성하였으니 아이들이 재미있게 완성해 볼 수 있도록 도와주세요. 이 페이지 하단에는 객관식 문제의 답이 소개되어 있으므로 아이가 답안을 먼저 보고 문제를 풀지 않도록 지도해 주세요.

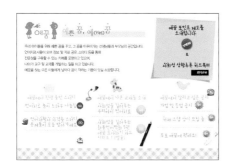

더 궁금한 점이 있으시거나 도움말이 필요하시다면, 언제든지 주저 말고 예꿈까페를 찾아 주세요. 예꿈까페는 예쁜 꿈을 꾸고 그 꿈을 이루어가는 언어치료사, 선생님, 부모님들이 모여 정보 및 자료 공유, 스터디 등을 통해 전문성을 구축해 가는 공동체랍니다.

http://cafe.naver.com/jdreamchildren

새 학기예요

새 학기 첫날이에요.

예꿈이는 2학년 3반이 되었어요.

새로운 선생님과 친구들을

만나는 것은 기대되지만,

친했던 친구들이 모두 다른 반이 되어서

조금 걱정되어요.

교실에 들어가 보니

일찍 온 친구들이 앉아 있었어요.

먼저 온 순서대로

마음에 드는 자리에 앉는 모양이에요.

예꿈이는 교실을 한 번 둘러보았어요.

다음 만화를 읽고 빈 말풍선을 채워 보세요.

문제 풀기

만화 내용을 기억하며 다음 질문에 답해 보세요.

1. 함께 앉고 싶은 친구에게 뭐라고 말하면 가장 좋을까요?

① 여기는 내 자리야! 비켜 줘.

② 너 혼자 앉아 있으니 외롭겠다.

③ 혹시 여기 앉을 사람 있어?

④ 너 왕따구나?

⑤ 나는 2학년 3반이야.

1-1. 정답이 아닌 네 가지 말은 왜 옳지 않은지 이유를 말해 보세요.

1-2. 내가 예꿈이라면 어떻게 말을 할지 적어 보세요.

2. 만약 자리에 앉아 있는 친구에게 같이 앉고 싶은 다른 친구가 있었다면, 친구는
   뭐라고 말하는 것이 가장 좋을까요?

① 미안해. 다른 친구랑 앉기로 했어.

② 그래! 좋아. 여기 앉아.

③ 나는 네가 좀 싫어.

④ 왜 여기에 앉고 싶은지 그 이유를 세 가지 말해 봐.

⑤ 앉게 해 주면 뭘 해 줄 건데?

2-1. 정답이 아닌 네 가지 말은 왜 옳지 않은지 이유를 말해 보세요.

2-2. 내가 친구라면 어떻게 말을 할지 적어 보세요.

생각 더하기

만화의 내용들을 회상하며 생각을 키워 봅시다.

1. 아래의 단어들을 넣어서 예꿈이의 새 학기 이야기를 다시 말해 보세요. 이야기에 사용한 단어에는 X표를 해 보세요. 다 했다면 이야기를 요약하여 다시 써 보세요.

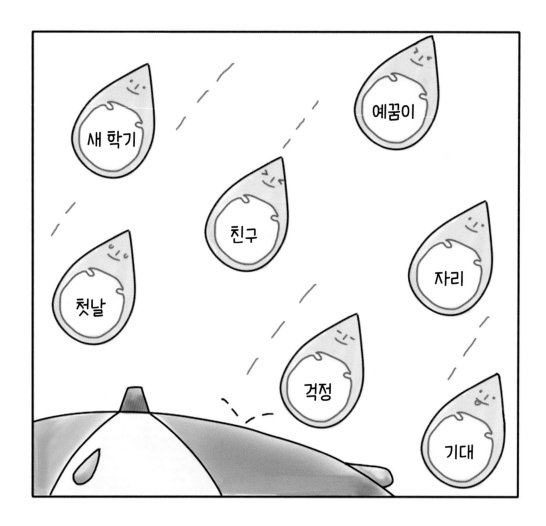

2. 내가 처음 학교에 가던 날이나 새 학기 첫날을 떠올리면서 다음 질문에 답해 보
세요.

1) 새 학기가 되면 기분이 어떤가요?

----

2) 새 학기가 되면 좋은 점, 싫거나 걱정되는 점은 무엇인가요?

----

3) 새 학기가 되어 처음 만나는 친구들에게 할 수 있는 이야기를 생각해 보세요.

----

4) 나의 새 학기는 어땠나요? 기억에 남는 일을 말해 보세요.

한 걸음 더

멋진 첫인상을 준비해요.

새 학기가 되면
새로운 친구들을 만나게 돼요.
어떤 사람을 처음 만나면,
좋은 느낌이 들기도 하고
나쁜 느낌이 들기도 해요.
그것을 '첫인상'이라고 한답니다.
첫인상이 좋은 친구를 만나면
그 친구와 친해지고 싶어져요.
첫인상이 나쁜 친구를 만나면
그 친구와 별로 친해지고 싶지 않아요.
내가 좋은 첫인상을 준다면
친구들을 더 잘 사귈 수 있을 거예요.

친구들을 만나기 전,
나는 친구들에게 좋은 첫인상을
줄 수 있는 준비가 되었는지
확인해 보세요.

'멋진 첫인상을 준비해요' 점검표

이것을 지켰나요?	네
깨끗하게 세수했나요?	
상쾌하게 양치했나요?	
이 사이에 낀 음식은 없나요?	
머리를 단정하게 빗었나요?	
외출할 옷으로 갈아입었나요?	
옷에 더러운 것이 묻어 있지 않나요?	
단추는 제자리에 끼웠나요?	
옷에 구멍이 없는지 확인했나요?	
양말은 짝이 맞나요?	
책가방에 책을 모두 넣었나요?	
책가방을 어깨에 단정히 맸나요?	
신발에서 나쁜 냄새가 나지 않나요?	
신발 끈을 다 묶었나요?	

이것을 지켰나요?	네
눈곱은 안 붙었나요?	
입냄새는 안 나나요?	
머리는 감았나요?	
속옷은 갈아입었나요?	
날씨에 맞는 옷을 입었나요?	
옷에서 나쁜 냄새가 나지 않나요?	
지퍼는 다 올렸나요?	
양말을 신었나요?	
필요한 준비물을 챙겼나요?	
책가방은 깨끗한가요?	
신발은 짝이 맞나요?	
신발은 구기지 않고 신었나요?	
거울을 보고 웃는 연습을 했나요?	

* 이 표를 잘 보이는 곳에 붙여 놓고 매일 학교 가기 전에 점검해 보세요.

역할극 대본

다음 대화를 보고 손인형으로 역할극을 해 보세요.

대본을 읽고 내가 배우가 된 것처럼 말해 보세요.

 아인: (반갑게 웃으며) 안녕! 니 옆에 혹시 자리 있어?

 서우: (곤란한 표정으로) 어…… 같이 앉을 친구가 있어.

 아인: 이…… 그래? (주위를 둘러보며) 나는 그럼 어디 앉지?

 서우: 내 앞자리 비었어. 여기 앉을래?

 아인: (밝은 얼굴로) 고마워. 만나서 반가워. 나는 아인이야.

 서우: 내 이름은 서우야. 반가워.

빈칸을 채워서 대본을 말해 보세요.

 나: 안녕! (친구의 옆자리를 가리키며) _____ ?

 친구: (미안한 표정으로) 이미 앉기로 한 친구가 있는데…….

 나: _____. (혼잣말로) 나는 그럼 어디 앉지?

 친구: (앞자리를 가리키며) 여기 앉아도 돼.

 나: 고마워. (상냥하게 웃으며) _____ .

 친구: 나는 _____ 라고 해. 만나서 반가워.

만약에 이런 일이

만약에 이런 일이 일어난다면 나는 어떻게 할까요?

다음 상황을 읽고 빈칸을 채워서 문장을 만들어 읽어 보세요.

새 학기가 되어서 학교에 갔어요. 선생님께서 마음대로 앉고 싶은
자리에 앉아도 된다고 하셔서 아는 친구와 앉으려고 했는데
친구는 다른 아이랑 앉기로 했대요.

그러면 나는   생각이 날 것 같아요.

                  기분이 들 것 같아요.

그리고 나는   표정으로 "   "라고 말해 줄 거예요.

그리고 이런 행동을 할 거예요.

배운 내용을 생각하며 만화 내용을 채워 보세요.

정답 및 쉬어 가는 페이지

배운 내용을 생각하며 생각나는 대로 낙서해 보세요.

12쪽 문제 1번: ③ 혹시 여기 앉을 사람 있어?

13쪽 문제 2번: ① 미안해. 다른 친구랑 앉기로 했어.

친구와 이야기를 시작해요

예꿈이는 자리에 앉아서
가방을 내려놓았어요.
아직 수업 시간이 되지 않아서
선생님은 오지 않으셨어요.
먼저 온 친구들은 자리에 앉아서
짝과 대화를 하거나 만화책을 읽거나
교실을 돌아다녀요.
예꿈이는 선생님이 오실 때까지
무엇을 하고 있어야 할지 잘 모르겠어요.
짝은 책과 공책과 필통을 꺼내두고
독서를 하고 있어요.

다음 만화를 읽고 빈 말풍선을 채워 보세요.

만화 내용을 기억하며 다음 질문에 답해 보세요.

1. 새로운 친구에게 처음 말을 걸 때, 어떤 말이 가장 좋을까요?

① 친구를 만나면 인사해야 돼.

② 너는 분홍색이 안 어울린다.

③ 오늘 내가 전화할게.

④ 안녕? 나는 주예꿈이야.

⑤ 오늘부터 너랑 나는 영원히 친구야.

1-1. 정답이 아닌 네 가지 말은 왜 옳지 않은지 이유를 말해 보세요.

1-2. 내가 예꿈이라면 어떻게 말을 할지 적어 보세요.

----

2. 옆에 앉은 친구가 공룡책을 읽고 있는데, 예꿈이도 공룡을 좋아해서 공룡에 대해 말해 보고 싶어요. 어떤 말이 가장 좋을까요?

① 공룡책 따위 시시해!

② 공룡책은 폭력적이라고 생각해.

③ 공룡책 읽네? 나도 공룡 좋아해.

④ 공룡책을 나한테 주는 게 좋겠어.

⑤ 난 화장실에 가고 싶어.

2-1. 정답이 아닌 네 가지 말은 왜 옳지 않은지 이유를 말해 보세요.

2-2. 내가 예꿈이라면 어떻게 말을 할지 적어 보세요.

----

3. 처음 만난 친구에게 말을 걸고 싶어요. 친구가 다음 중 어떤 행동을 하고 있을 때 말을 거는 것이 가장 좋을까요?

① 친구가 책상에 엎드려서 잠을 자고 있을 때

② 친구가 열심히 수업을 듣고 있을 때

③ 친구가 화장실에 가려고 급하게 자리에서 일어났을 때

④ 친구가 나와 눈이 마주쳤을 때

⑤ 친구가 선생님께 혼나고 있을 때

생각 더하기

만화의 내용들을 회상하며 생각을 키워 봅시다.

1. 아래의 단어들을 넣어서 예꿈이와 친구의 첫 만남 이야기를 다시 말해 보세요. 이야기
   에 사용한 단어에는 X표를 해 보세요. 다 했다면 이야기를 요약하여 다시 써 보세요.

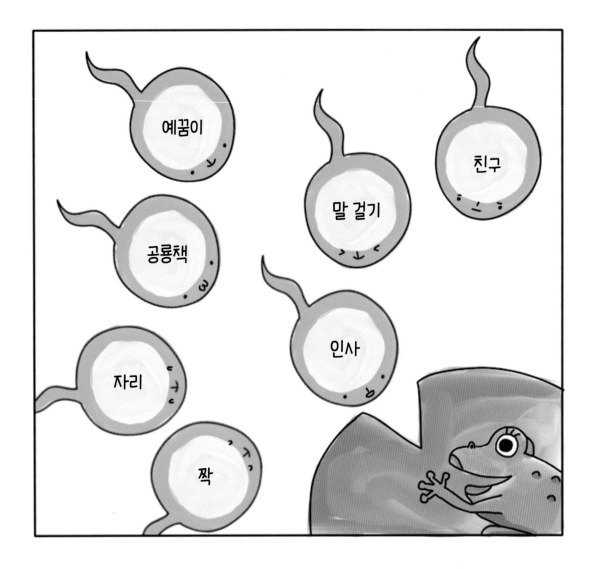

-----

2. 내가 처음 친구를 사귀던 날을 떠올리면서 다음 질문에 답해 보세요.

1) 새 친구를 만나면 기분이 어떤가요?

-----

2) 새 친구를 만나면 좋은 점, 싫거나 걱정되는 점은 무엇인가요?

-----

3) 새 학기가 되어 처음 만나는 친구들에게 말을 걸 때 할 수 있는 이야기를 생각해 보세요.

-----

4) 새 친구를 사귀었을 때가 기억나나요? 그 경험을 말해 보세요.

한 걸음 더

처음 만난 친구와 이렇게 이야기를 나눠요.

새로운 친구들을 만나면
서로에 대해 아는 것이 없어.
친구가 나를 알아주길 바란다면
내가 이야기를 해 주어야 해!
친구에 대해 알고 싶을 때는 내가 궁금한 것을
물어볼 수도 있지~ 처음 만나는 친구와 어떤
대화를 나누면 좋을지 한번 연습해 보자!

나는 친구를 처음 만났을 때 무슨 이야기를
해야 할지 걱정이 될 때가 있어.
하지만 내가 해야 할 말을 미리 연습해 둔다면
친구와 처음 말할 때 자신감이 생길 거야!
거울을 보면서 혼자 말해 보기도 하고
선생님이나 부모님과 함께
연극을 하는 것처럼 연습해 볼래.

이렇게 말해 보세요	잘 했어요
안녕! 만나서 반가워.	
내 이름은 .... 야. 넌 이름이 뭐야?	
난 .... 에 살아. 넌 어디 살아?	
난 .... 을 좋아해. 넌 뭘 좋아해? (놀이, 장난감, 음식, 취미 등)	
난 새 학기가 시작돼서 좀 떨려. 넌 기분이 어때?	
오늘 우리 뭐 하는지 알아? 궁금하다.	
새 친구들은 사귀었어? 나도 소개시켜 주면 좋겠다.	
(나에게 장난감이 있을 때) 나랑 이거 같이 하자.	
(나에게 간식이 있을 때) 이거 같이 나눠 먹을래?	
(친구가 놀고 있을 때) 뭐해? 재밌겠다! 나도 끼워 줘.	

* 잘 연습해서 좋은 친구들을 많이 사귀어 보세요.

역할극 대본

다음 대화를 보고 손인형으로 역할극을 해 보세요.

대본을 읽고 내가 배우가 된 것처럼 말해 보세요.

 지원: (집에서 가져온 카드를 보여 주며) 너 이거 알아?

 환희: 와! 이거 내가 좋아하는 캐릭터야.

 지원: 정말? 그럼 우리 카드놀이 같이할래?

 환희: 그래, 재밌겠다. (머뭇거리며) 어떻게 하는 거야?

 지원: (친절한 말투로) 내가 가르쳐 줄게.

 환희: 고마워.

빈칸을 채워서 대본을 말해 보세요.

나: (젤리를 꺼내며) 너 젤리 좋아해?

친구: 젤리? 응, 좋아해.

나: _____?

친구: 정말? 맛있겠다~

나: (젤리를 건네 주며) _____.

친구: (_____) 고마워. 잘 먹을게.

만약에 이런 일이

만약에 이런 일이 일어난다면 나는 어떻게 할까요?

다음 상황을 읽고 빈칸을 채워서 문장을 만들어 읽어 보세요.

새 학기가 되어서 친구들을 새롭게 만났어요.
오늘 처음 만난 친구가 나에게 사이좋게 지내자면서 같이 놀자고 말했어요.

그러면 나는 ----------------------- 생각이 날 것 같아요.

----------------------------------- 기분이 들 것 같아요.

그리고 나는 ------------ 표정으로 " ----------------------------- "라고 말해 줄 거예요.

그리고 이런 행동을 할 거예요. -----------------------------------

배운 내용을 생각하며 만화 내용을 채워 보세요.

정답 및 쉬어 가는 페이지

 '생각 물고기'와 어울리는 "말 물고기"를 찾아서 선으로 연결해 보세요.

'처음 보는 친구네.
친해지고 싶어.
첫인사를
건네는 게 좋겠다.'

"이거 재밌는데
나랑 같이 할래?"

'친구들이 모여서
재미있게 노네.
나도 같이 놀고 싶어.'

"안녕?
만나서 반가워~"

'내 장난감으로
친구랑 같이
놀이하고 싶어!'

"혹시 오늘 우리
뭐 하는지 알아?"

'나한테 간식이
있는데 친구랑
같이 나눠 먹고 싶다.
친구는 어떨지
물어볼까?'

"나 간식 있는데
같이 먹을래?"

'오늘 수업 시간에
뭘 할지 궁금해.
친구에 물어보고
싶은데……'

"재밌겠다!
나도 끼워 주라~"

24쪽 문제 1번: ④ 안녕? 나는 주예꿈이야.

25쪽 문제 2번: ③ 공룡책 읽네? 나도 공룡 좋아해.

25쪽 문제 3번: ④ 친구가 나와 눈이 마주쳤을 때

자기를 소개해요

짝과 대화를 하고 있으니

곧 수업 시간을 알리는 종이 울렸어요.

교실 문이 열리더니

예쁜 선생님이 들어오셨어요.

선생님은 활기찬 목소리로

자기소개를 하시고서

앞으로 잘 부탁한다고 말씀하셨어요.

선생님은 친구들끼리도

서로 자기를 소개하는 시간을

가지자고 말씀하셨어요.

다음 만화를 읽고 빈 말풍선을 채워 보세요.

문제 풀기

만화 내용을 기억하며 다음 질문에 답해 보세요.

1. 선생님께서 처음 만나는 우리 반 친구들에게 할 말로 가장 적절한 말은 무엇일까요?

① 숙제를 모두 꺼내세요.

② 만나서 반가워요. 나는 김은주 선생님이에요.

③ 왜 이렇게 말을 안 듣니?

④ 소풍 못 가는 사람 손들어 봐.

⑤ 알림장은 다 썼어요?

1-1. 정답이 아닌 네 가지 말은 왜 옳지 않은지 이유를 말해 보세요.

1-2. 내가 선생님이라면 어떻게 첫인사를 할지 적어 보세요.

----

2. 예꿈이가 친구들 앞에서 자기소개를 할 때 가장 적절한 말은 무엇일까요?

① 안녕? 네 이름은 뭐니?

② 어제 만화 봤니? 진짜 재밌었어!

③ 나를 반장으로 뽑아 주면 정말 열심히 일할 수 있어!

④ 나는 주예꿈이고, 달리기를 잘해.

⑤ 어제 아이스크림 많이 먹어서 엄마한 테 혼났는데 정말 속상했어.

2-1. 정답이 아닌 네 가지 말은 왜 옳지 않은지 이유를 말해 보세요.

2-2. 내가 예꿈이라면 어떻게 자기소개를 할지 적어 보세요.

3. 다음 중 자기소개 할 때 말하지 않아야 할 내용을 모두 골라 보세요.

① 우리 집 현관 비밀번호

② 나의 취미

③ 나의 이름

④ 내가 가장 좋아하는 것

⑤ 내가 몰래 좋아하는 친구의 이름

생각 더하기

만화의 내용들을 회상하며 생각을 키워 봅시다.

1. 아래의 단어들을 넣어서 예꿈이의 자기소개 이야기를 다시 말해 보세요. 이야기
   에 사용한 단어에는 X표를 해 보세요. 다 했다면 이야기를 요약하여 다시 써 보
   세요.

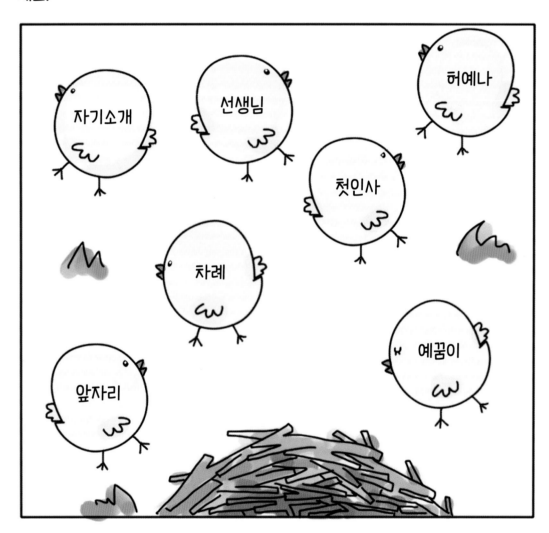

----

2. 내가 처음 자기소개 하던 날을 떠올리면서 다음 질문에 답해 보세요.

1) 친구들 앞에서 자기소개를 하면 기분이 어떤가요?

----

2) 자기소개를 하는 것의 좋은 점, 싫거나 걱정되는 점은 무엇인가요?

----

3) 자기소개 시간에 할 수 있는 말들을 생각해 보세요.

----

4) 자기소개를 해 본 적이 있나요? 기억에 남는 일을 말해 보세요.

한 걸음 더

친구들에게 내 이야기를 해 주어요.

새 학기가 시작되면 선생님과 친구들이 서로 자기소개를 해요.
자기소개는 내 이야기를 다른 사람들에게 해 주는 것이에요.
자기소개를 하면 서로를 잘 알 수 있어요.
서로 잘 아는 것은 친해지는 데 도움이 된답니다.
그럼 멋진 자기소개를 연습해 볼까요?

이렇게 소개해 보세요　　　　　　　　　　　**잘했어요**

이렇게 소개해 보세요	잘했어요
안녕! 만나서 반가워.	
내 이름은 ＿＿＿＿＿＿ 야.	
난 ＿＿＿＿＿＿ 에 살아.	
우리 가족은 ＿＿＿, ＿＿＿, ＿＿＿ 가 있어.	
난 ＿＿＿＿＿＿ 을 좋아해.	
난 ＿＿＿＿＿＿ 을 잘해.	
내 꿈은 ＿＿＿＿＿＿ 가 되는 거야.	
난 ＿＿＿＿＿ 가 좀 어려워. (또는 싫어해)	
가끔 내가 실수하는 일이 있어도 잘 이해해 줘.	
잘 부탁해. 우리 앞으로 친하게 지내자.	

나에 대해서 조금 더 알아보아요.

내 생일은 언제인가요?

내 생일을 쉽게 기억할 수 있는 방법이 있나요?

우리 집은 어디인가요?

우리 집 근처에는 무엇이 있나요?

내가 태어난 나라는 어떤 곳인가요?

우리나라에 대해서 아는 것을 말해 보세요.

우리 가족은 몇 명이고 누구누구가 있나요?

나의 형제나 자매에 대해서 말해 보세요.

내가 다룰 수 있는 악기가 있나요?

내가 좋아하는 음악은 무엇인가요?

나는 어떤 운동을 좋아하나요?

내가 좋아하는 운동에 대해 말해 보세요.

내가 감명 깊게 읽은 책은 무엇이었나요?

책을 읽으며 무슨 생각을 했나요?

나는 어떤 과목을 좋아하나요?

나는 어떤 과목을 싫어하나요?

내가 잘하는 것은 무엇이 있나요?

내가 가장 좋아하는 것은 무엇인가요?

나의 장래 희망은 무엇인가요?

역할극 대본

다음 대화를 보고 손인형으로 역할극을 해 보세요.

대본을 읽고 내가 배우가 된 것처럼 말해 보세요.

 현서: 나는 미소아파트에 살아.

 우진: (반가운 말투로) 우리 집이랑 가깝네.

 현서: 정말? (초롱초롱한 눈빛으로) 너네 집은 어디야?

 우진: 미소아파트 정문 근처에 있어.

 현서: 그렇구나! 집에 갈 때 같이 가면 좋겠다.

 우진: (다정한 표정으로) 그래, 좋아.

빈칸을 채워서 대본을 말해 보세요.

 나: 우리 가족은 아빠, 엄마, 나 그리고 _____ 이야.

 친구: 좋겠다. 나는 _____ 없고 _____ 이 있어.

 나: (궁금한 표정으로) 너네 _____ 은 몇 살이야?

 친구: _____. 너네 _____ 은 몇 살이야?

 나: _____.

 친구: 그렇구나. 나중에 소개시켜 줘.

만약에 이런 일이

만약에 이런 일이 일어난다면 나는 어떻게 할까요?

다음 상황을 읽고 빈칸을 채워서 문장을 만들어 읽어 보세요.

반 친구들이 한 명씩 앞에 나와서 자기소개를 하게 되었어요.
나는 무슨 말을 할지 생각하고 나갔어요.
그런데 앞에 나가니 할 말이 하나도 생각나지 않았어요.

그러면 나는 _____ 생각이 날 것 같아요.

_____ 기분이 들 것 같아요.

그리고 나는 _____ 표정으로 " _____ "라고 말해 줄 거예요.

그리고 이런 행동을 할 거예요. _____

배운 내용을 생각하며 만화 내용을 채워 보세요.

정답 및 쉬어 가는 페이지

배운 내용을 생각하며 생각나는 대로 낙서해 보세요.

36쪽 문제 1번: ② 만나서 반가워요. 나는 김은주 선생님이에요.

37쪽 문제 2번: ④ 나는 주예꿈이고, 달리기를 잘해.

37쪽 문제 3번: ①, ⑤

알림장을 써요

오늘은 개학 첫날이라서

단축 수업을 하게 되었어요.

선생님은 알림장을 꺼내서

내일까지 해 올 숙제를

적어 보자고 하셨어요.

그런데 예꿈이 앞자리에 앉은

여자아이의 앉은 키가 커서

예꿈이는 칠판이 잘 보이지 않아요.

만화 읽기

다음 만화를 읽고 빈 말풍선을 채워 보세요.

문제 풀기

만화 내용을 기억하며 다음 질문에 답해 보세요.

1. 앞자리 친구의 키가 커서 칠판이 잘 안 보여요. 만약 예꿈이가 앞 친구에게 부탁을 했다면 뭐라고 말하는 것이 가장 좋았을까요?

① 네 머리가 너무 커서 앞이 안 보여!

② 너는 글씨를 참 잘 쓰는구나.

③ 너 때문에 내가 피해를 보잖아!

④ 너 나랑 밖에서 따로 얘기하자.

⑤ 앞이 잘 안 보여서 그러는데 고개를 조금만 옆으로 해 줘.

1-1. 정답이 아닌 네 가지 말은 왜 옳지 않은지 이유를 말해 보세요.

1-2. 내가 예꿈이라면 앞 친구에게 어떻게 부탁할지 적어 보세요.

----

2. 예꿈이는 칠판이 잘 안 보여서 알림장을 다 쓰지 못했어요. 친구에게 도와달라고 말할 때 가장 적절한 말은 무엇일까요?

① 앞에 친구 머리 진짜 크지?

② 나는 키가 너무 작아.

③ 백 원 줄게. 내 알림장 좀 써 줘.

④ 나 앞이 잘 안 보여서 그러는데 알림 장 다 썼으면 좀 보여 줄래?

⑤ 숙제가 너무 많아서 짜증나!

2-1. 정답이 아닌 네 가지 말은 왜 옳지 않은지 이유를 말해 보세요.

2-2. 내가 예꿈이라면 어떻게 부탁을 할지 적어 보세요.

----

3. 알림장을 쓰지 않으면 어떤 일이 일어날까요?

① 숙제나 준비물을 까먹을 수 있어요.

② 엄마에게 칭찬을 받아요.

③ 아이스크림을 먹게 돼요.

④ 준비물을 잘 챙겨 올 수 있어요.

⑤ 반에서 1등을 하게 돼요.

생각 더하기

만화의 내용들을 회상하며 생각을 키워 봅시다.

1. 아래의 단어들을 넣어서 예꿈이의 알림장 쓰기 이야기를 다시 말해 보세요. 이
   야기에 사용한 단어에는 X표를 해 보세요. 다 했다면 이야기를 요약하여 다시
   써 보세요.

2. 내가 알림장을 쓰는 시간을 떠올리면서 다음 질문에 답해 보세요.

1) 알림장은 언제, 왜 쓰나요?

----

2) 알림장을 쓰는 것의 좋은 점과 싫은 점은 무엇인가요?

----

3) 알림장을 쓰기 어려울 때 친구들에게 부탁할 말을 생각해 보세요.

----

4) 알림장을 안 쓴 적이 있었나요? 어땠는지 이야기해 보세요.

한 걸음 더

알림장은 왜 쓰는 것일까요?

알림장을 쓰면

내일 준비해 가야 할 준비물을 기억할 수 있어요.

선생님이 내 주신 숙제를 기억할 수 있어요.

나의 학교생활과 숙제, 준비해야 할 것을 부모님이 쉽게 아시고

도와주실 수 있어요.

선생님의 말 중에서 필요한 내용을 알림장으로 옮겨 써 보세요.

아까 선생님이 나눠 준 식단표는
집에 가면 어머니께 보여 드리세요.
그리고 오늘 칫솔을 안 가져온 친구는
내일 잊지 말고 가져오세요.
내일은 '우리 가족 소개'를 할 거예요.
집에 가서 우리 가족을 소개할 수 있는
글을 한 장 적어 오세요.
그러면 내일 수업 시간에 발표하도록 해요.
그리고 내일 마지막 시간은 체육 수업이에요.
줄넘기를 배울 거니까
꼭 준비해 오세요.

알림장을 직접 써 보세요!

날짜		확인	

참
잘했어요

역할극 대본

다음 대화를 보고 손인형으로 역할극을 해 보세요.

대본을 읽고 내가 배우가 된 것처럼 말해 보세요.

 정민: (이리저리 기웃거리며) 아, 어떡하지?

 가희: 왜 그래?

 정민: (속상한 말투로) 칠판이 잘 안 보여서. 알림장을 다 못 적었어.

 가희: 나 다 적었어.

 정민: 그럼 네 알림장 좀 보여 줄래?

 가희: 그래, 내 거 보고 적어.

빈칸을 채워서 대본을 말해 보세요.

(선생님께서 내일 공부할 내용을 알려 주시는데, 짝이 앞에 앉은 친구랑 떠드는 소리 때문에 선생님 말씀이 잘 들리지 않는 상황에서)

 나: (＿＿＿＿＿＿＿) 잠시만 조용히 해 줄래?

 친구: 응? 왜 그래?

 나: 선생님 말씀이 ＿＿＿＿＿＿＿＿＿＿.

 친구: 아, 미안해. 그런데 선생님께서 뭐라고 하셨어?

 나: ＿＿＿＿＿＿＿＿＿＿.

 친구: 그럼 한 번 더 여쭤 보자.

만약에 이런 일이

만약에 이런 일이 일어난다면 나는 어떻게 할까요?

다음 상황을 읽고 빈칸을 채워서 문장을 만들어 읽어 보세요.

선생님이 칠판에 써 준 것을 받아 적고 있었는데 뒷자리에 앉은 친구가
나한테 짜증을 내면서 "니 머리가 너무 커서 앞이 안 보이잖아."라고 말했어요.

그러면 나는 _____ 생각이 날 것 같아요.

_____ 기분이 들 것 같아요.

그리고 나는 _____ 표정으로 " _____ "라고 말해 줄 거예요.

그리고 이런 행동을 할 거예요. _____

배운 내용을 생각하며 만화 내용을 채워 보세요.

정답 및 쉬어 가는 페이지

 친구에게 부탁할 때는 어떻게 말하면 좋을까요?

다음과 같은 일이 일어났다고 생각해 보세요.
나는 친구에게 어떻게 부탁하면 좋을까요?
곰곰이 생각해 보고 내가 할 말을 아래에서 찾아 빈칸에 붙여 보세요.

앞 친구의 키가 커서 칠판이 잘 안 보일 때	풀 칠
친구가 떠들어서 선생님 말씀이 잘 안 들릴 때	풀 칠
선생님 말씀을 알아듣지 못했을 때	풀 칠
내 연필이 친구 자리 밑으로 떨어졌을 때	풀 칠

점선을 따라 잘라서 알맞은 곳에 붙이세요.

"칠판이 잘 안 보여서 그러는데, 잠시만 고개 숙여 줘."	"미안한데, 네 의자 밑에 연필 좀 주워 줘."
"잠깐만 조용히 해 줘."	"선생님, 한 번만 더 말씀해 주세요."

 48쪽 문제 1번: ⑤ 앞이 잘 안 보여서 그러는데 고개를(후략)

49쪽 문제 2번: ④ 나 앞이 잘 안 보여서 그러는데(후략)

49쪽 문제 3번: ① 숙제나 준비물을 까먹을 수 있어요.

같이 집에 가요

개학 첫날이어서

수업이 일찍 끝났어요.

예꿈이는 짝꿍 준수와 인사하고

가방을 챙겨서 교문을 나섰어요.

그런데 교문 앞에 같은 반 친구인

예나가 보였어요.

예나는 예꿈이를 보더니

먼저 말을 걸었어요.

아까 자기소개 할 때,

예나는 예꿈이랑 같은 빌라에

산다고 말했었어요.

다음 만화를 읽고 빈 말풍선을 채워 보세요.

문제 풀기

만화 내용을 기억하며 다음 질문에 답해 보세요.

1. 예나는 행복빌라에 산대요. 예꿈이는 예나와 집에 가는 방향이 같아서 함께
   집에 가고 싶어요. 예꿈이는 예나에게 뭐라고 말하면 가장 좋을까요?

① 너랑 집에 가고 싶지 않아!

② 너는 낯선 사람이니까 우리 집이 어
   디인지 말해 줄 수 없어.

③ 행복빌라면 우리 집이랑 가까워. 같
   이 갈래?

④ 내 이름은 예꿈이야.

⑤ 오늘 일찍 끝나서 기분 좋아!

1-1. 정답이 아닌 네 가지 말은 왜 옳지 않은지 이유를 말해 보세요.

1-2. 내가 예꿈이라면 예나에게 어떻게 말할지 적어 보세요.

----

2. 집에 가면서 예꿈이가 예나에게 할 말로 가장 좋은 것은 무엇일까요?

① 네 비밀은 뭐야?

② 너랑 같이 가니까 재미없다.

③ 좀 빨리 걸어! 너 진짜 느리다.

④ 너는 행복빌라 몇 동에 살아?

⑤ 나는 3반인데 너는 몇 반이야?

2-1. 정답이 아닌 네 가지 말은 왜 옳지 않은지 이유를 말해 보세요.

2-2. 내가 예꿈이라면 어떤 말을 할지 적어 보세요.

생각 더하기

만화의 내용들을 회상하며 생각을 키워 봅시다.

1. 아래의 단어들을 넣어서 예꿈이가 집에 가는 이야기를 다시 말해 보세요. 이야기에 사용한 단어에는 X표를 해 보세요. 다 했다면 이야기를 요약하여 다시 써보세요.

----

2. 내가 친구와 함께 집에 오던 날을 떠올리면서 다음 질문에 답해 보세요.

1) 친구와 함께 집에 가면 기분이 어떤가요?

2) 친구와 함께 집에 가는 것의 좋은 점과 싫은 점은 무엇인가요?

3) 친구와 함께 집에 갈 때 친구들과 할 수 있는 이야기를 생각해 보세요.

4) 친구와 함께 집에 가는 시간은 어땠나요? 기억에 남는 일을 말해 보세요.

한 걸음 더

친구와 같이 집에 갈 때는 이런 대화를 나눠요.

어울리는 내용이 되도록 줄로 이어 보세요.

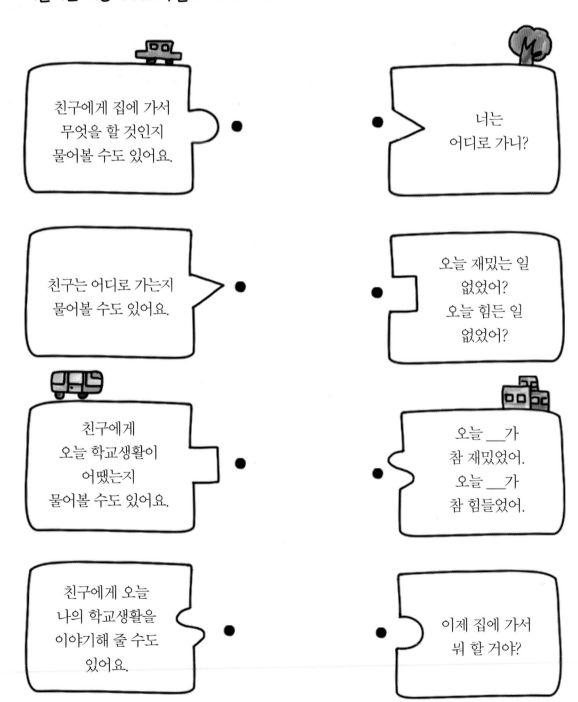

친구에게 집에 가서 무엇을 할 것인지 물어볼 수도 있어요.

너는 어디로 가니?

친구는 어디로 가는지 물어볼 수도 있어요.

오늘 재밌는 일 없었어? 오늘 힘든 일 없었어?

친구에게 오늘 학교생활이 어땠는지 물어볼 수도 있어요.

오늘 __가 참 재밌었어. 오늘 __가 참 힘들었어.

친구에게 오늘 나의 학교생활을 이야기해 줄 수도 있어요.

이제 집에 가서 뭐 할 거야?

친구와 같이 걸을 때는 이것을 생각해요.

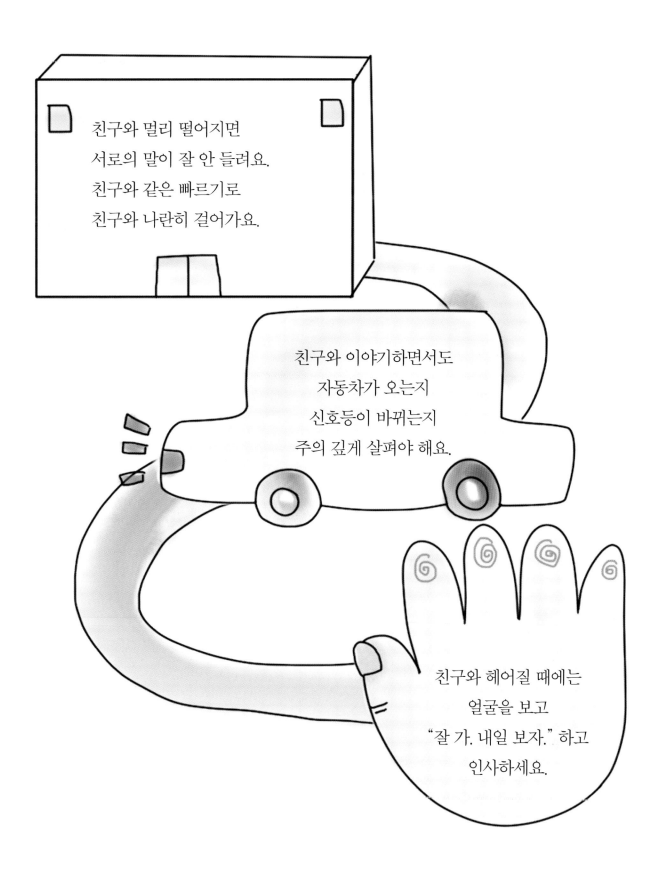

친구와 멀리 떨어지면
서로의 말이 잘 안 들려요.
친구와 같은 빠르기로
친구와 나란히 걸어가요.

친구와 이야기하면서도
자동차가 오는지
신호등이 바뀌는지
주의 깊게 살펴야 해요.

친구와 헤어질 때에는
얼굴을 보고
"잘 가. 내일 보자." 하고
인사하세요.

역할극 대본

다음 대화를 보고 손인형으로 역할극을 해 보세요.

대본을 읽고 내가 배우가 된 것처럼 말해 보세요.

 형우: (앞에 가는 주영이를 부르며) 주영아, 같이 가자.

 주영: (반가운 얼굴로) 어, 형우야. 너는 어디로 가?

 형우: 나는 집에 가. 우리 집은 소방아파트야.

 주영: 나도 그쪽으로 가는데 잘됐다.

 형우: 너도 집에 가는 거야?

 주영: 아니, 나는 태권도 학원에 갈 거야.

빈칸을 채워서 대본을 말해 보세요.

 나:　너도 이쪽으로 가?

 친구: (건널목을 가리키며) ＿＿＿＿＿＿＿＿＿＿＿＿＿ .

 나:　그럼 우리 이제 헤어져야겠다. 나는 길 안 건너거든.

 친구: ＿＿＿＿＿＿＿＿＿＿＿＿＿？

 나:　우리 집은 이 길 따라서 쭉 가면 돼.

 친구: 그렇구나. 잘 가. ＿＿＿＿＿＿＿＿＿ .

만약에 이런 일이

만약에 이런 일이 일어난다면 나는 어떻게 할까요?

다음 상황을 읽고 빈칸을 채워서 문장을 만들어 읽어 보세요.

수업을 끝내고 집에 가는데 우리 반 친구가
나에게 집에 같이 가자고 말했어요.

그러면 나는 ＿＿＿＿＿＿＿＿ 생각이 날 것 같아요.

＿＿＿＿＿＿＿＿ 기분이 들 것 같아요.

그리고 나는 ＿＿＿ 표정으로 "＿＿＿＿＿＿＿＿"라고 말해 줄 거예요.

그리고 이런 행동을 할 거예요. ＿＿＿＿＿＿＿＿

배운 내용을 생각하며 만화 내용을 채워 보세요.

정답 및 쉬어 가는 페이지

배운 내용을 생각하며 생각나는 대로 낙서해 보세요.

60쪽 문제 1번: ③ 행복빌라면 우리 집이랑 가까워. 같이 갈래?

61쪽 문제 2번: ④ 너는 행복빌라 몇 동에 살아?

저 자

이화여자대학교 대학원에서 언어병리학을 전공하였고, 현재는 임상에서 언어발달에 어려움을 겪고 있는 아동들을 만나고 있습니다. 아이들의 사회성과 화용언어에 특별한 관심을 가지고 연구하고 있습니다.

최소영

이화여자대학교 대학원에서 언어병리학을 전공하였습니다. 모든 아이들이 건강하게, 자유롭게, 행복하게 의사소통할 수 있는 세상을 소망하며, 의사소통에 어려움을 겪는 아이들을 교육하고 연구하는 일에 힘쓰고 있습니다.

허은경

공동저서로 『사회성을 길러주는 우리아이 언어치료』(김재리 · 조아라 · 최소영 · 허은경), 『어휘력을 길러주는 우리아이 언어학습』(김재리 · 최소영 · 허은경), 『사회적 상황추론 카드』(허은경 · 김재리 · 최소영), 『또박또박 재잘재잘 이야기 발음카드』(김재리 · 최소영 · 허은경)가 있으며, 언어치료사들과 부모님들의 나눔터인 예꿈카페를 운영하고 있습니다.

http://cafe.naver.com/jdreamchildren

손인형

손인형

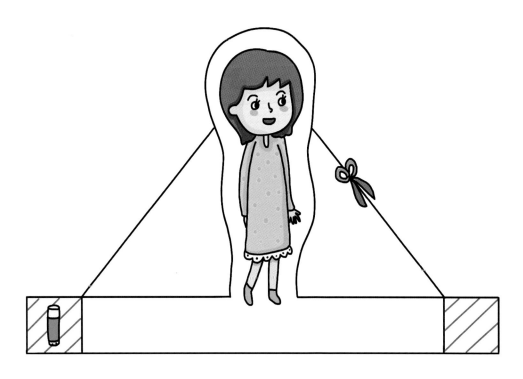

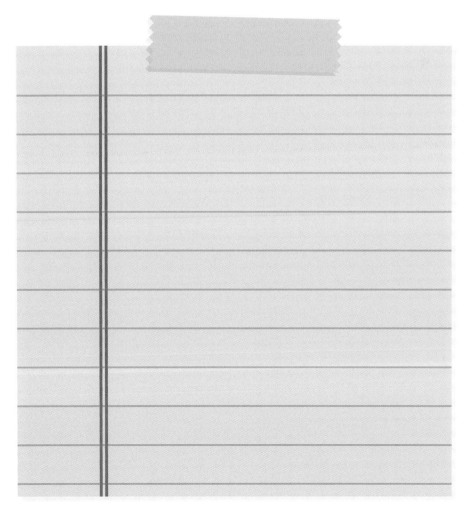

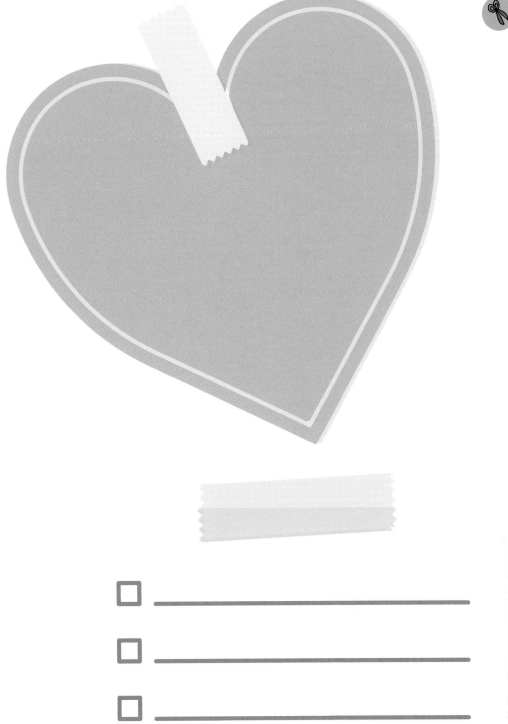

만화로 배우는

사회성 쑥쑥 화용언어 치료 1

초판 1쇄 발행 2015년 03월 27일
개정판 9쇄 발행 2024년 04월 30일

지은이 최소영 · 허은경
발행인 채종준

출판총괄 박능원
편집장 지성영
책임편집 이강임 · 신수빈
디자인 홍은표
마케팅 문선영 · 전예리
전자책 정담자리

브랜드 이담북스
주소 경기도 파주시 회동길 230 (문발동)
문의 ksibook13@kstudy.com

발행처 한국학술정보(주)
출판신고 2003년 9월 25일 제406-2003-000012호

ISBN 979-11-6603-364-3 14370
　　　979-11-6603-363-6 14370 (전5권)